P9-CLD-500

Louis Weber, C.E.O.
Publications International, Ltd.
7373 North Cicero Avenue
Lincolnwood, Illinois 60646
U.S.A.

fabricado en Mexico

8 7 6 5 4 3 2 1

ISBN 1-56173-851-4

mentes activas

mi día

FOTOGRAFÍAS DE
George Siede y Donna Preis

CONSULTORA
Istar Schwager, Ph.D.

¡Buenos días! Es hora de levantarse y vestirse.

Escoge tu ropa de juego que más te gusta.

Un día divertido empieza con un desayuno sano.

Prepárate para jugar y correr.

Hora de jugar con los niños.

Seamos buenos amigos y prestemos nuestros juguetes.

La comida terminó.
¿Quién quiere
salir?

¡Directo al parque!
¡Vamos a jugar,
a correr y a divertirnos!

Estos juguetes son buenos
y no hacen ruido

**cuando estás cansado
al final del día.**

La cena significa cosas
muy ricas para comer.

Ven a la mesa y toma
asiento.

El baño es mucho más divertido de lo que piensas.

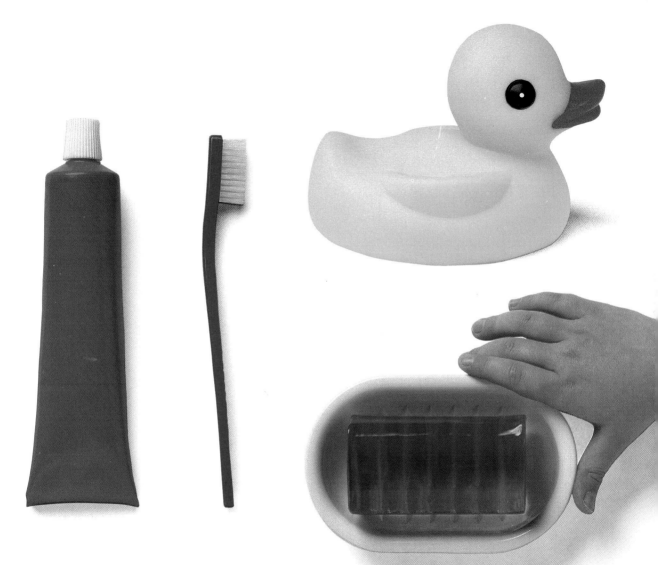

Refréscate en la tina y lávate
los dientes en el lavabo.

Ahora, vete a la cama. Prepárate para dormir y acomódate bien.

Buenas noches. Acurrúcate bien. ¡Un beso y un abrazo para ti!